Ffion Evans

dim
ond deud

dafydd john pritchard

Cyhoeddiadau Barddas
2006

Argraffiad cyntaf: 2006

ISBN 1 900437 81 3

*Cyhoeddwyd gyda chymorth ariannol
Cyngor Llyfrau Cymru.*

Cyhoeddwyd gan Gyhoeddiadau Barddas

Argraffwyd gan Wasg Dinefwr, Llandybïe

I'm rhieni

Cynnwys

Pabydd! Pam?

(i ateb a pheidio ag ateb yr holl gwestiynau)

Nid dyna pam o gwbl.
Nid oherwydd chwiw
i blismona
stafell wely neb,

na'u clymu â rheolau
caeth; briwio arddyrnau
a fferau cydwybod.
Nid dyna pam o gwbl.

Nid oherwydd methu derbyn
nad oes gwerth i'r beth bynnag
ydi o yn y groth, a heb ei weld.
Nid dyna pam, 'chwaith.

Nid trefn oherwydd cred
mewn trefn, na rheol
yn glais mawr powld; rhag ofn.
Nid dyna pam o gwbl.

Nid am fod barddoniaeth
ym mhob gair yn bywiocáu'r
cymalau'n sagrafennol.
Nid hynny hyd yn oed.

Hen wraig a bechodd
hyd ei hoes, ond a lynodd
gerfydd ei bysedd modrwyog
wrth yr harddwch

a ymddiriedwyd iddi
nad yw'n heneiddio
nac yn newid; a'r meddwl
nad yw'n pylu.

Synhwyrais fod mwy tu hwnt
i gyrion llenni Larkin
na'r dydd a'i olwg stond
ar yr anorfod,

a mwy yn fanno
nag a feiddiwn ei arllwys
i gronfeydd dychymyg.
Mwy nag atebion.

Eira yn Y Gelli Gandryll

Fel celloedd meirw'n ein llygaid
mae'n pluo'n dawel ar fore Sadwrn oer,
a'r cloc a fu'n mesur amser maith y lloer
yn deffro'n gân. Ac am ysbaid

wrth wisgo'n ara' deg cyn brecwast
rwy'n gwylio'r plu, heb glywed iaith
paragraffau eu bwriadau llaith.
Dim ond sylwi ar y llanast.

Llanast rhyw ychydig o frawddegau
sy'n styrio rhywfaint ar y stryd,
rhyw styrio creadigol mud
tu hwnt i glyw awduron a pherchnogion siopau.

Metadata

Mae'r caffi'n llawn gan bobl a'u gwybodaeth:
"Mae hwn a hwn, ti'n gwbod, hogyn hon a hon,
a ti'n cofio sut oedd honno – a'r tad, y sglyfath –
wyt, ti'n cofio'n iawn, mi roedd hi bron

â phethma 'n doedd, stalwm 'lly, ti'n gwbod,
c'wilydd mawr, pawb yn sôn a neb yn dallt,
nes i hwn a hwn, sy'n byw lawr lôn, stagio'r
bocha' tin a'r coesa' ar yr allt . . ."

Mae'r storïau'n felysach gan bob llwyaid demerara,
a phob coffi'n stori newydd heb ei dweud;
pob sigarét yn gymal sydd yn llosgi'n ara',
a'r llwch yw pob manylyn yn y gwneud.

Cân Cicero

Dewch yn nes, ac yn nes,
ac ystyriwch y ffeithiau;
nac ofnwch y gwres
sydd ym mynwes troseddau.

Ac rwyf innau yn awr
am fowldio fy rhethreg
yn un garreg fawr,
neu yn bluen telyneg;

a pherlau perswâd
yw'r chwys ar fy nhalcen,
ac iaith o lawr gwlad
fydd fy iaith, os bydd angen;

iaith crogi, iaith glên,
a'i dadleuon bach perig,
iaith gynnil fy ngwên
beripatetig;

iaith cydio'n y gwir
a thylino hwnnw'n
eiriau, yn frawddegau clir
rhag amheuon twrw

y cyhoedd bas.
Rwy'n ymladd difrawder
y byd, ac rwyf innau'n was
yn achos cyfiawnder.

Cyfiawnder wrth reddf
i lofrudd neu butain:

yng nghywreinder iaith deddf
mae gogoniant Rhufain . . .

Dewch yn nes, ac yn nes,
ac ystyriwch eto
fwriad fy ngeiriau; a lles
pwy? *Cui bono? Cui bono?*

Pen-blwydd Priodas

Maen nhw yma i gyd, pum mlynedd ar hugain,
yn fud mewn stwnsh risotto o dan ffyrc
y ddau. Fel 'tae popeth wedi'i ddweud,
a'i ddweud eto. Sipian rhyw Chianti bach

a "Ti'n cofio . . .?" "Ydw." Sipian eto, a rhoi'r ffyrc
ar waith: symud y blynyddoedd hyd y plât,
y rhyferthwy a fu unwaith yn eu caru, ffraeo,
a'r cymodi wedyn dan gynfasau glân;

dwylo fu'n tylino bron a datgymalu ofnau
gan fwytho gwallt yn araf, araf, yn anadlog
o araf. Nes ildio eto'n llwyr i'r anorfod.
Dwylo fu'n gyffyrddiad tyner mewn mynwentydd oer.

Dwylo rhy gyfarwydd â'r sinc neu blicio tatws,
â gweithio paned wrth y fil,
palu'r ardd, gwagio'r bin; y pethau bach
cyfarwydd, angenrheidiol byw-bob-dydd.

Dwylo nad ydynt heno'n cwrdd dros fwrdd
y dathlu, dim ond chwarae hefo'u bwyd â'r ffyrc,
a fflam canhwyllau'n fflicran rhyngddynt.
Fflicran yn eu llygaid, fflicran hefyd yn y gwydrau gwin.

Maen nhw yma i gyd, pum mlynedd ar hugain,
yn fud mewn stwnsh risotto o dan ffyrc
y ddau. Fel tae popeth, popeth wedi'i ddweud
ger chwerthin uchel y byrddau eraill.

"Dwi ar y trên!!"

Mae o wrthi eto'n sgwrsio'n uchel
fel tae'r teclyn yn rhy fychan
i wneud cyfiawnder llwyr â'i lais,
ac mae'i anghwrteisi o mor gwrtais;
llifeiriant teithiwr ar fand llydan!

Gallwn ninnau ei gyd-deithwyr bellach
gyd-flasu'i frecwast, pob un cynhwysyn,
ddallt pa mor anodd oedd hi heddiw i ddal y trên,
a thrafferthion mwy na hynny yn y fargen
sy'n peri i mi'n raddol golli'n limpyn.

Ydi o'n nabod pawb? Ond yr un yw'r stori.
Ac fel i arall daw rhyw ysictod
drosof i, a does dim dianc rhag hwn;
erbyn hyn mi dagwn, o, mi dagwn
yr anadl olaf o'r fath ddiflastod!

Mae eraill yma'n stwyrian hefyd,
yn dyrnu corneli eu papurau newydd,
a'r dyrnu'n graddol droi mor flin
â bygythiadau sawl penelin;
a'r wynebau 'run ffunud â'r tywydd.

Ac yntau'n dal i sgwrsio'n uchel
a'r un hen, hen stori yn rhygnu
'mlaen, a wyneb pawb yn rheg,
wrth adael twnel ac ar ganol brawddeg
fe'i syfrdanwyd yntau gan y ffôn yn canu . . .

Graffiti

Rhoi llais i ystadegyn
yw gadael fy marc fan hyn,
fel ci ar bolyn

lamp. Dwi'n perthyn
i'r twll o le, fan hyn
a'i lanast a'i chwyn;

a chymuned gyndyn
sy'n gwasgu pob diferyn
i fyw, hanner byw, fan hyn;

a dwi'n ifanc a gwyn,
yn dygymod fan hyn
â byw ar y dibyn,

ac yn gweld fesul tipyn
fy mod i, fan hyn,
angen rhywun sy'n elyn.

Dyna pam yn fan hyn
y mae fy nychryn yn un
'ffyc-off' mawr melyn.

Ymchwiliad Cyhoeddus

('We've been listening very loudly')

Daeth cystrawennau'n fintai at y drws
yn gywir i gyd, mor fanwl â chorws,

ond fe'u dychrynwyd hwythau gan holl sŵn
llu o dafodau marciau cwestiwn

na allent ddeall hyn na deall 'chwaith y llall,
methu deall eu cwestiynau, na'r un dim arall.

Nes unwaith eto cyn i'w cegau gau
fe ddychrynwyd y rhain gan ebychnodau

bach milain yn prancio'n bigog i gyd,
yn bendant eu barn a phendant amhendant hefyd.

Ac wedyn cymalau, brawddegau, paragraffau hir
yn mynnu mai nhw, ar y cyfan, sy'n gywir,

ac, ar ddiwedd y dydd, does neb, neb
fel hwythau â'r ddawn i draethu doethineb

yn benodau di-ri a chyfrolau trwm
i lenwi holl silffoedd llyfrgelloedd yr hirlwm

sy'n prysur ddatblygu ar stepen y drws
a'r rhethreg a gasglwyd yn sylweddol ei gorpws.

Fe'm gadawyd yn ddalen nad yw'n gwybod yn iawn
a ydw i angen coma neu atalnod llawn.

Cân y Bardd

Mor hawdd yn aml
yw rhoi gair ar bapur
sy'n slic gan driciau,

a chuddio'n fanno; chwarae
gêm â sŵn, gan osgoi emosiwn
di-alw-amdano; mor hawdd

wrth geisio plesio'r dorf
â'r un hen ystrydebau –
hyd at ddagrau, gobeithio –

a phob englyn
fel y curo dwylo'n
llawn o hen drawiadau.

Manteisio wedyn ar bob cyfle,
fel hen fwltur a'i awen o big
am wneud trasiedi'n gân,

a godro pob trychineb
hyd yr eithaf, a thu hwnt
lle nad yw geiriau'n gwneud un dim.

Ac yma ar stepen fy nrws fy hun
yr un hen ysfa i farwnadu eto,
gwneud colli cariad yn delyneg arall,

a chreu profiadau poenus o brydferth;
ac er mwyn pwy? Ond mae'r odlau'n
dwyll i gyd. Ac rwyf innau'n brifo.

Heb ystyried cymaint mwy syfrdanol
mewn stydi, ym mreichiau un arall, ar lwyfan,
yw crio'n dawel, neu weithiau sgrechian . . .

Prynu Petrol yn Hollywood

Ar fy ngwaethaf ni allwn ddiystyru,
yn llwyr, ddidwylledd
ei 'Have a nice day!'
mewn garej yn Hollywood

lle mae llenwi'r tanc mor rhad
â gwên; ond bod gwên ffordd hyn
yn ffortiwn ynddi'i hun
ac mor llydan â'r dail palmwydd.

Lawr yn fan'cw mae olion sêr
yn gledrau dwylo mewn concrid oer
o dan draed barus
y pererinion; pob un â'i gap.

Mae'r camerâu'n crogi'n amyneddgar
gan orffwys am y tro
ar lwyfannau stumogau'r
brecwastau mawr.

Pawb â'i freuddwyd yw hi,
yn dychmygu sgriniau'n llawn
gan ramant, y math a geir
mewn ffilmiau'n unig.

Ond mae'r sgriniau'n goch.
Mae adeiladau'n chwalu'n sêr,
a hynny, rhywsut, yn hardd
yn ei anferthedd.

Ond mae yno bobl hefyd,
ac mae hwythau'n sêr,
neu'n *extras* efallai, mewn sioe
mae pawb yn sôn amdani.

Mae'r plot yn syml: ni a nhw;
a'n hogia ni yn chwilio'n ddewr
am arfau nad oedd yno.
Ond mae yno olew.

Mae yno hefyd gyrff yn pydru
o dan rwbel, ond gwaeth na hynny
mae yna gyrff mewn bagiau'n glanio'n
gyson mewn meysydd awyr.

Sut y canaf i fy nghân
mewn gwlad ddieithr?
Rwy'n prynu petrol mewn garej
yn Hollywood, ar lan afonydd Babilon.

Gweddi

Pan ddeuai Larkin weithiau ar ryw hap
at eglwys wag, a sodro'i feic tu allan,
roedd ganddo yn ei feddwl fath o fap:
bedyddfaen, blodau, llyfrau; ac yna'n datgan
nad oedd o fewn yr eglwys hon ddim byd
â'i gwna hi'n werth y drafferth
iddo dynnu'i het a chlipiau beic, fel y gwnâi o hyd,
dim anghyffredin na dim byd prydferth.

Ac ar ôl arwyddo'r llyfr caiff fynd o'r lle,
cau'r drws yn glep a sleifio oddi yno
heb weld un awgrym bach o'r ne'
o fewn y groes ddaearol hon, na theimlo
dim a allai fod yn Dduw. Ond ar ei daith
mae'n cyfaddef iddo'i hun fod yno urddas –
geni, priodi, marw; ac nad oedd, chwaith,
ei bererindod yntau yno'n llwyr ddibwrpas.

Ond eglwys heb y bobl oedd ei eglwys o,
eglwys yn llawn pethau, a'r canrifoedd
iddo'n oglau tamprwydd yn y to
a llwch yn cronni yn y dirgel-leoedd.
Carpedi'n fudr goch, yn frau a thenau erbyn hyn;
yn dreuliedig bellach nid gan draed ffyddloniaid
ond gan 'sgidiau cerdded rhyw dwrist syn
sy'n mynnu cofnodi rhyw sylw dienaid.

Ni welodd Larkin olau'r haul fel llafn
yn chwalu'r llwch yn fil o baderau,
a chanhwyllau'n treulio fesul dafn
yn ddagreuol boeth eu llif gweddïau;
ni chlywodd chwaith y credo yn y coed
a geiriau heddiw'n eiriau'r gorffennol,
fel tae rhai o hyd yn dal i gadw'r oed
a'r seddau'n llawn sibrydion defosiynol.

Cerdd gomisiwn i gylchgrawn Cristnogol Cymraeg ar ddechrau'r unfed ganrif ar hugain . . .*

Ac mi sgwenna i gerdd wnaiff sigo'r byd
mewn gramadeg tactegol.
Lluniaf frawddegau sydd â dyrnau dur,

hoeliaf fy atalnodi ar feddyliau pobl,
a dethol geiriau'n ddidrugaredd.
A sangiadau? – gwastraff amser, na chânt fod.

Ni fydda i'n potsian â pharchusrwydd odl,
ac ni chaiff mydr gloffi lli fy llais. Nid oes lle
i *voodoo'r* gynghanedd yma 'chwaith

i dwyllo neb fod sŵn yn drech na synnwyr
wrth chwarae triciau â'n clustiau coesau agored.
Ni ddaw dim daioni o gyfathrach cytseiniaid.

Ac wedi'i llunio fe gaiff aros yno'n dawel
rhwng y cloriau, nes y daw rhywun, rhywdro, heibio
a synnu at danbeidrwydd y cariad sydd o'i mewn . . .

****

Ond mae rhai sy'n aros ar fynydd Carmel
sy'n gweld tra bo'r sêr yn sefyll o hyd
fod caer i'w cariad mewn gweddi dawel
sydd yn beunyddiol sigo'r byd;

yn clywed poen mewn ceir yn parcio,
yn deall gofid ac iaith y stryd,
yn teimlo ofnau eneidiau'n mynd heibio
a'u hapusrwydd hwy i gyd;

yn addo Duw mewn gwin a bara
wrth wely angau, a ger y crud
mae gwenau eto'n un Hosanna,
Hosanna llafar y gwenau mud.

(I ddathlu hanner can mlynedd Y Tad John Fitzgerald O CARM
yn yr offeiriadaeth).

Evan Roberts a fi
mewn stretch limo . . .

Fel y dyn ei hun
aeth y llais yn ddarnau
ryw bryd 'rôl 04/05.

A dyma fi a gweddillion mud
y Diwygiad yn fy nghôl
yn gadael LAX
mewn limo gwyn.
Yn sgubo heibio i Hollywood
a Pasadena, ar *freeways*
a *boulevards* y coed palmwydd.
Heibio i'r *diners* a'u croeso
a'r bariau lle mae clust i wrando,
a chwrw rhag y twrw poeth.

Mae lliwiau McDonald's a Burger King
yn gwgu ar ei gilydd ar bob cornel stryd;
a didwylledd dannedd gwyn yr hysbysebion
yn ymgiprys am y gorau;
ac am y ddoler.
'The meek shall inherit the passenger seat.'
A'r car yn frenin.

Yfed siampên yng nghwmni
tri o Galiffornia, a'u rhyfeddod
at gynnwys bregus y bocs.
A gwagio'r botel.

Mae cŵyr toredig dechrau'r ugeinfed ganrif
yng ngwlad yr haul a Silicone Valley,
a thechnoleg hen neges
fel y neges yn deilchion

mewn stretch limo gwyn
yn L.A.
A Chymro arall a thri o Galiffornia
yn yfed siampên.

(Yn 2004 bûm yn Los Angeles yn y gobaith y gellid adfer silindr cŵyr o 1905 yr oeddem yn gobeithio fod arno recordiad o lais Evan Roberts. Cefais lifft mewn limo gwyn i'r gwesty gan griw y cyfarfûm â nhw ar yr awyren!)

Basilica San Antonio (Padova)

Mae'r sant yn gorwedd dan y garreg hon, sy'n ffotograffau drosti;
lluniau plant marw'n gwenu, babanod yn y crud,
mamau a thadau ifanc a fu'n ysglyfaeth mewn damweiniau ceir.

Ffotograffau'n ymbiliadau a gweddïau;
yn ddelweddau llonydd
a adawyd yma ar faen bedd San Antonio.
A'r torfeydd: pererinion
a thwristiaid ifanc, hen a chanol oed;
a chariadon a fu'n rhyferthwy neithiwr yn eu gwlâu
yn gosod dwylo chwyslyd
galar ar y maen;
yn mynnu gosod llaw mewn pant ar garreg
a grewyd gan ffydd a fu'n chwys a gwaed
gan gariad ac ymdrech
a dagrau'r canrifoedd.

Am fod gwyrthiau'n digwydd fan hyn.
Y bywydau a achubwyd.
Y bywydau a adferwyd.
Am fod sant yn teimlo'r dwylo'n erfyn yng nghorneli cred,
yn ymbalfalu uwch y gannwyll olau fechan.
Am fod sant â chlust i wrando ar ymbiliadau'r sŵn tawel.

Mae Basilica San Antonio'n llawn sŵn tawel.

A chan fod gwyrthiau'n digwydd fan hyn
mae lluniau'n ddiolch hefyd,
yn orfoledd gweddi.

Mae offeiriad o Urdd Sant Ffransis
yn ceisio twtio tipyn ar y lle,
ac rwyf innau'n sefyll
yn y sŵn, gyda'r bobl
yn eu gwres wrth y ffotograffau
a'r canhwyllau blêr.

Bedydd yn Llanbadarn

Os oedd Auden wedi'i dallt hi – am ddioddefaint,
na chymerai'r Meistri gamau gweigion, byth –
beth am hwn? Yn ôl y beirniaid, ein hacademyddion,
yr arlunydd cyntefig Cymreig a beintiodd hwn. Y naïf.

Mae hi'n llond ysgyfaint o ffydd. Ac oes, mae gwartheg
yno'n pori gan ystyried dim wrth gnoi cil.
Petai hi'n boddi, ni tharfai ddim ar hynny; dim ond pori,
pori, pori o hyd ar lannau Rheidol. Ond does neb yn boddi,

does dim byd ond bedydd yma, ac mae'n eitha siŵr
nad yw'r dynion ar y bryn yn chwennych dim
ond gweld ail-eni yn y dŵr, dod o farw'n fyw,
ac nid oes a wnelon nhw â'r cysgodion dros y bryn, tu hwnt
        i'r ffrâm,

tu allan i'r llun. Oedd, roedd Auden wedi'i dallt hi. Ond fe
        ddalltodd hwn
fod daioni a daioni yn cyd-daro weithiau, ac er gwaetha'r
hyn na welwn, yr hyn na roddwyd yma'n baent
ar ganfas, mae Bedydd yn Llanbadarn.

Bedydd yn Llanbadarn, tua 1840 (Arlunydd anhysbys).
Atgynhyrchwyd gyda chaniatâd Llyfrgell Genedlaethol Cymru, Aberystwyth.

Bethel: (*Boots* Aberhonddu)

Mae disgyblion cosmopolitan Coleg Crist
fel duwiau bodlon heddiw yn yr haul,
a'r sbectolau tywyll eto'n cuddio'r holl wynebau trist;

mae dreigiau coch yn rhannu awel jac yr undeb,
ac mewn hen briordy clywir Duw mewn Saesneg crand
sydd fel y barics, hwythau'n, hen ystrydeb;

ac ar Sgwâr Bethel y mae'r siopau smart
yn gwahodd pererinion penwythnosau'r bunt;
nid oes i'r awel yno sibrwd pader nac arogleuon pridd y mart;

ond ceir fan hyn rhwng pedair wal ddiwallu'n holl anghenion,
ac rwy'n siŵr fod Aberhonddu'n falch
fod heddiw, o hyd, gystal trefn ar y moddion.

"Bread of 'Eaven"

Bûm mewn cadeirlan ddoe,
a miloedd o addolwyr
sgarffiog, coch; corau unsain,
pleidiol i'w gwlad.

A 'Wales! Wales!' yn gytgan.

Llond awyr o weddïau parod,
llond *Western Mail*, a'i atodiad, o brafado,
a doethineb *Brains*
yn llefaru mewn tafodau.

O'i bulpud, a neb yn ei glywed,
daw acenion Bill MacLaren,
i roi synnwyr i'r synau,
a throi'r patrymau'n eiriau hanes.

Offeiriadon y gêm
a'u gwisg liw gwaed y tymor,
ar allor werdd, yn stemio.
Yr afrlladen o bêl yn sgimio
rhwng dwylo'r addoliad,
ac ambell gic yn oedi'n hir
uwch y sgarffiau cegrwth
cyn troi'n orfoledd triphwynt
rhwng pyst traws-sylweddiad!

Awn ymaith mewn tangnefedd,
a phiso *Brains* yn wlyb
dan ein sodlau.

Augsburg

Mae'n rhaid gwasgu'r intercom
i gael mynediad i'r synagog
a'r Jüdisches Kulturmuseum
yn Augsburg, Bafaria.
Tu ôl i'r giatiau trymion wedyn
croeso gofalus Iddewes ganol oed
â'i diddordeb yn ein hiaith;
esbonio, ond ni werthfawrogai'n llwyr
ein cyflwr lleiafrifol ni.
Cawsom gapiau ganddi, rhai papur, gwyn,
i guddio'n pennau yn y cysegr.
Yna crwydro'n llawn diddordeb anwybodus
heibio i'r creiriau i gyd, a'r wybodaeth
am swyddogaeth y pethau hyn
dan glo'r Almaeneg.
Mentro camu'n or-ofalus, rhag colli'n capiau,
i'r oriel uwchlaw'r seddau gweigion:
syllu a rhyfeddu ar y nenfwd cain,
y llythrennu cain, y gwaith coed cain.
Syllu ar y fflam dragwyddol, fechan, goch,
mewn tawelwch.
Trio clywed twrw'r noson-a-drefnwyd honno
pan oedd meddyliau gweigion yn tybio gweld
mor glir â grisial; trio clywed y gwydr
fel llwythau ar chwâl hyd y seddau a'r lloriau;
trio clywed rhwygo'r Gyfraith gan ddialedd fandaliaid.
Ond yn y tawelwch hwn clywed dim ond sŵn
y seddau gweigion . . .
A dyna pam, mae'n debyg,
fod rhaid gwasgu'r intercom
i gael mynediad i'r synagog
a'r Jüdisches Kulturmuseum
yn Augsburg, Bafaria.

Nadolig 2004

Peth rhyfedd ym Medi
yw'r e-bost caredig –
y comisiwn electronig
am gerdd i'r Nadolig.

Fy rheol rhif un: tydw i ddim ar unrhyw gyfri
i ddefnyddio'r gair 'tinsel'!
A dyna'r rheol wedi'i dymchwel
chwe gair ar hugain yn unig i mewn i'r cawdel

hwn o gerdd. Ac mae eraill yn barod
wedi adrodd hanes y plant yn y festri,
y teganau'n torri
a balchder rhieni.

Ond bu'r archfarchnadoedd yn hynod
o lawn o blwm pwdinau brandi
am wythnosau dirifedi,
ac anrhegion yn rhegi . . .

Rhaid meddwl felly am ryw syniad clyfar.
Gweld byddinoedd eto'n gadael ffosydd
i wneud dim byd ond chwarae gêm, ac ar hwyrddydd
ganu carolau a chaneuon eu ffydd.

Ond na. Yng ngeiriau, yn ochneidiau'r offeren,
yn y ffeithiau a'r darluniau styfnig
sydd yn stori'r Nadolig,
mae'r cariad a'r marw mor ffyrnig.

Geiriau

(i Manon a Jim ar achlysur eu priodas)

Ond pa werth sydd, yw cwestiwn rhai,
mewn ffurfioli pethau?
mewn yngan geiriau, dim ond geiriau,
ar goedd fel hyn i blesio rhyw-rai,
neu ryw-beth;
ymgartrefu yng ngramadeg parchusrwydd.

A beth yw grym sagrafen sifil,
neu gyfraith darn o bapur
nad yw'n eiliad o adnabod?
A fydd y gwaed a fu'n ildio
i'r hen ysfa ddi-droi'n-ôl
yn sychu'n addunedau inc?

Pam gwisgo modrwy sy'n cau amdanoch?

Ond diystyr ar aelwydydd rhai
yw *'dim ond geiriau'*;
yn y rhain mae llond tylwyth o ystyr:
yn gariad llafariaid,
yn gadernid cytseiniaid.
Yma mae ystyr yn trigo.
O'u mewn mae rhyddid y dychymyg.

A bydd inc yn gwaedu cerddi a storïau.

Begera

Ar nos Lun y cwrddais i ag o.
Daeth ataf gan fy ngalw'n frawd;
a gallai ddweud yn syth
fy mod yn Gristion da.

Fe'm sicrhaodd na wnâi ddim drwg i mi.
Mae'n parchu'r gyfraith, yn casáu pob trais,
a beth bynnag, mae yntau'n Gristion hefyd.
O raid y glynai wrthyf, medda fo, fel hyn,
hyd strydoedd Hatfield ym Mhretoria.

Roedd ganddo stori.
Roedd yn fy mhlagio am ei fod
yn wylo dagrau sych ei wlad
sy'n dal i aros glaw.

Roedd ganddo stori am ei chwaer
a lofruddiwyd ganddyn 'Nhw',
gan dynnu'i fys yn araf, araf hyd ei wddf
i mi gael deall.

Ac roedd angen trigain Rand
i deithio'n ôl i'w bentref yn y wlad
a chladdu'i chwaer yn barchus.
A phe cawsai gennyf fi y trigain Rand
ni welwn i mohono wedyn.

Ni fynnwn wybod ganddo'i enw;
byddai hynny'n ormod o adnabod.

Ar nos Fawrth fe'm gwelodd eto hyd y lle,
a daeth ataf, fy ffrind newydd,
a'i gyfandir o wên.

34

Y tro hwn ni allai fyw heb brynu siwgr
a rhyw fanion eraill.
A daeth ataf, medda fo, am y gwyddai'n syth
fy mod yn Gristion da.

Tröedigaeth

(Pretoria/Tshwane)

Cyn mynd i'r coleg cefais gyngor gan fy mam;
yr unig un:
"Cofia, mae'n bwysig cymysgu."

Ond fan hyn bu Duw o blaid
gweld pobl ar wahân.
Roedd hynny yn eu Beibl, roedd yn ddu a gwyn.
Ac wedi'r cyfan, fe ŵyr pawb fan hyn
nad trwy gymysgu grawnwin yn ddifeddwl
y cynhyrchir gwin o safon.

A beth am lwyddiant
economaidd
y dyn gwyn?
Roedd Duw o'i blaid.

A thlodi dybryd y dyn du?
Mae'n hawdd esbonio hynny.

Ond ciliodd y ddysgeidiaeth honno erbyn hyn,
a Duw sy'n Dduw i bawb sy'n deyrn.
Mae'n rhyfedd felly fod 'na giwiau unlliw'n
ffurfio ymhob man.
Ac unlliw yw y rhai sy'n sgubo'r stryd
a symud pianos.
Ac unlliw yw y rhai a wela' i'n y siopau drud.

Mae'n bwysig cymysgu,
ond ar brydiau mae fan hyn
fel tafarnau Llŷn a Sir Gaernarfon.

Marchnad Alghero

Alghero'n ei hwyliau gorau yn sŵn
    ac yn synnwyr geiriau,
  yn gân hen, yn gig, yn gnau,
  yn ffraeth a'i llond o ffrwythau;

yn ara deg lenwi'r dydd i'r eithaf
    mae'r ieithoedd trwy'i gilydd,
  teis a ffôns a thrincets ffydd
  a gwlad yn un â'r gwledydd;

llysiau tew, cawsiau'n drewi'n uffernol
    yn ffwrn haul eleni,
  ystyron ym mhob stori,
  gwres yn llawn hanes . . . a ni.

Er Cof am Pete Goginan

Mae gwerin y chwerthiniad, a'i lygaid
    ar lwgu? Mae sgarlad
  ei fwg o lais? Mae'i farf gwlad?
  Mae'r sioe orau? Mae'r siarad?

Ble mae'r gwg fu'n sugno'r mwgyn, y geg
    a wagiai bob gwydryn
  a rhagor? Ble mae'r hogyn?
  Mae'r dysg, mae'r geiriau, mae'r dyn?

Stôl wag, a'r Cŵps ar agor, yn ddistaw
    heb bryddestau rhagor,
  'mond sŵn grwndi miri'r môr
  a hen wylan; sŵn elor.

Castell Dolforwyn

(11/01/2003)

Does dim twristiaid yn fan hyn ar fore oer
o Ionawr, a'r frwydr fawr yw'r un
rhwng heulwen isel, wan a'r niwl
o gylch y muriau.

Does dim sŵn ond sŵn y ceir
ymhell, yn union fel tae
gwenyn Awst yn chwilio'n chwil am baill
cyn marw.

Does dim ond geiriau wedi eu hoelio
wrth y muriau, yn esbonio pam
a sut y codwyd hwn, un o'n cestyll ni,
fan hyn.

Nid dyna'r geiriad chwaith. Mae niwtraliaeth
archeoleg yn rhyfeddod, yn rhestru campau
a methiannau'r llwyth i gyd;
heb weld trueni.

Mae adar yma'n canu'n rhywle,
ac wrth ymlwybro'n araf tua'r car
mae'r rhew yn clecian-ddadmer
o dan draed.

I Streicwyr Ferodo

O raid ar ran eu brodyr a'u cadw
    y'i codwyd hwy'n streicwyr;
trwy lafurio'u dwylo dur
'Ferodo' ni chaiff fradwyr.

A Menai'n llawn amynedd ara deg,
    y mae'r dŵr fel llynedd
yn llifo heibio'n ei hedd:
dan ei cherrynt daw'n chwerwedd.

Ym mhydew Llafur Newydd un o bwys
    yw'r bós yn dragywydd,
bydd brwydro cyn delo dydd
y cilia deddf cywilydd.

Coc oen o Ianc a'i acen hyll yn waedd
    drwy'r holl ddyddiau tywyll,
un rheg o'i geg nes daw gwyll;
ein deisyfiad? Cydsefyll.

Nid yw scab yn cydnabod y dyrnau
    sy 'nghadernid undod;
y rhoddi'n hael, cyrraedd nod,
adfer yng ngwres anghydfod.

Ond mae atgof gan Gofi yn 'mestyn
    drwy'r mastiau at lechi
sy'n dal gwres ein hanes ni,
a rheolwyr chwareli.

O raid ar ran eu brodyr a'u cadw
    y'i codwyd hwy'n streicwyr;
trwy lafurio'u dwylo dur
'Ferodo' ni chaiff fradwyr.

Gwrthryfel

Mae o wrthi eto ar gefn ei geffyl,
rhywbeth am ryw lain o dir a ffensys
a map; fan'ma mae'i le fo:
mae'r tŷ 'ma wedi mynd â'i ben iddo,
a'r to wedi gollwng. Does dim esgus

dros ein hesgeuluso ni fel hyn. A daeth chwiw
dros ei ben o i ddechrau llythyra
â rhyw benboethyn yn Ffrainc,
a styrbio pawb, 'nenwedig y rhai ifainc
sy' ffordd 'ma. Do, mi ddeudodd Tada.

Roedd amser pan oedd popeth oedd ganddo'n ddigon:
deuai'n swildod llawn cyffro i 'nghasglu
a'm gwasgu'n dynn; nid codi dwrn
a gymerai ei fryd o bryd hynny yn 'dre ar nos Sadwrn,
a'i ben yn llawn ohona i a chartref a theulu.

Datodai fy ngwisgoedd fel un o'i fapiau:
y bysedd blysiog yn dilyn cwrs dyffrynnoedd
a choedwigoedd trwchus, a dal yr haul yn y dolydd mêl;
aros weithiau, wedi blino, ger y pyllau dirgel
a nofio'n chwys ddiferol yn nyfnder llynnoedd.

Ond mi gollodd ei ffordd yn rhywle.
Fe ddaeth adre' neithiwr wedi blino eto
yn oglau gwaed a'i wallt fel perth,
heb wên na chusan, heb ddweud mod i'n brydferth.
Bydd y diawl cyn bo hir yn colli'r cyfan sydd ganddo.

Oes gafr eto?

Sbïwch barfog 'di'r hogia
du a llwyd eu dillada',
a Dinorwig dan eira.

Dyma weld yr iseldir
wedi rhew eu crwydro hir
o'u niwl uwchlaw Cwm Eilir,

o'u lle unig. Un llinell
trwy dir wast Pentre Castell
yn araf weld porfa well

a brigau gwlyb i'w rhwygo.
Mae wal gerrig sy'n sigo
yng ngwynt y llyn ers cyn co',

ond i hwn sy'n glòs dani
mae'i chysgod diamod hi
yn dŵr uchel tosturi,

a gwynt mileinig y Garn
fel bidog yn Nolbadarn,
ei rhewynt fel dagr haearn . . .

Cân' hyd i'w gilydd cyn hir –
un ciw eto o'r coetir –
a niwl uwchlaw Cwm Eilir.

Cywydd Croeso Gŵyl Cerdd Dant
Aberystwyth 2003

Piau'r iaith ar hyd y Prom
â'r dŵr iasoer nawr drosom?
Tonnau hynod sy'n codi
chwip o wynt i'w chipio hi
o enau'r cerddwyr unig,
a llanw du yn llawn dig.

Môr Hydref yn gaib hefyd
a'i wallt gwyn yn wyllt i gyd,
malais ei lais hyd y lôn
yn dwrw heb ystyron;
daw llais diarbed y lli
â'i hysterics o stori.

Yn y gosteg sŵn cregyn,
hen dai gwag yn dywod gwyn;
sŵn graean a gwylanod,
a dau ŵr wrth fynd a dod
yn mwmial yn eu mamiaith.
Yn y broc pwy biau'r iaith?

Dewch heibio, dewch i Aber
i chwalu'r sŵn, chwilio'r sêr
yn eiriau llên ar y lli,
yn hen alaw o'r heli.
Dewch eto, heidiwch atom;
piau'r iaith ar hyd y Prom?

Llosgfynydd

Bu bwletin arbennig am saith y bore,
ar Radio Cymru.
Ond gan nad oedd neb yn gwrando,
(does neb yn gwrando ar Radio Cymru
bellach), ni chlywodd neb.

Ni welodd neb y mwg chwaith. Rhyw ffag o beth
i ddechrau; mynydd newydd gael rhyw.

"Mae na bobol newydd yn byw drws nesa.
Pobol neis; o Kent. Gneud rhwbath efo compiwtars.
Tri o blant bach del. Clyfar hefyd.
Fyddan nhw fawr o dro yn dysgu Cymraeg."

Cadair Idris a Dolgellau, tua 1800 (J. J. Dodd).
Atgynhyrchwyd gyda chaniatâd Llyfrgell Genedlaethol Cymru, Aberystwyth.

Gloywi Iaith

Mae llai o bobl erbyn hyn
yn crynhoi syniadau
o fewn hualau gramadeg.

Gramadeg cywir, hynny yw.
Bu eraill wrthi'n atalnodi
fel lladd nadroedd, a bod prinder

ar y cyfryw ddyfeisiadau: sychder
atalnodau llawn a newyn ebychnodau.
Mae eu pryder hwy yn un marc cwestiwn mawr.

Gweddi o'r frest yw ceir ynghŷn, a'r ffenestri'n sêr.
Gangiau'n un seiat ar gongl stryd, a'u dillad 'parch'
yn fai rhy debyg, eu rhegfeydd yn ormod odlau.

Ond mae grym gramadeg gan y rhain
wrth siarad â thafodau tân, wrth hyrddio eu cynddaredd cerrig
drwy nosau'r stryd a'n 'styrbio fel y dylai llenyddiaeth.

Esgyrn

Aed â'r sant i labordy.

Dewi a'i gyfeillion a'r gist
a dau giard Securicor â gwep dydd Sul
ar bererindod.

Pererindod i ddadadeiladu dirgelwch
ac i ôl-syllu ar lwch.

Aed â Dewi,
i rwydo'i achau'n Rhydychen,
ac i rwygo'r ceilliau o'r chwedl.

Fe aed ag ef
mewn fan las hyd ffyrdd a thraffyrdd
o'i esgobaeth i'r ddeoniaeth wyddonol.

Fe aed ag ef fel bonyn pren
i wŷr dysg gael cyfri'r cylchoedd,
a dyfod at y gwir.

Fe aed ag ef, ac mae bwlch
ar ei ôl, lle bu ffydd
yn llenwi'r lle.

Fe aed ag ef, ond nid oedd Dewi yno . . .

Nac oedd!

Nac oedd?

Y Brawd Mawr

Nid cysgu mae'r dylluan
heno'n ei choed, ac mae'i chân
â rhinwedd y gyfrinach
na ŵyr neb 'n y bore bach.
Gwrando côd mewn grwndi cath,
a fan'cw plu rhyw foncath
yn disgyn, disgyn i'r dŵr.
Yn ei heistedd difwstwr
mae'n dal pob smic o'r priciau
a synau coll nos yn cau;
yn duchan a bustachu,
a'u ffeilio hwy yn ei phlu.

Taith

Pesychiad tractor eto'n deffro'r byd,
a'i draciau hyd y lôn sy'n rhwystro'r ceir
rhag rhuthro i'r swyddfa. Ond mae siopau'r stryd
yn agor, gwich wrth wich, a phawb fel ieir
yn clochdar uwch sgandalau newydd. Daw
cyfreithwyr a rheolwyr banc a llond
waledi eu dychymyg, er y glaw;
a dyn a'i ffag yn gwylio'r traffig stond.

A diwedd pnawn cael gadael desgiau blin
'rôl treulio oriau'n rhegi dros y ffôn,
am daith besychlyd eto'n sownd wrth din
rhyw dractor araf arall ar y lôn:
ac yntau'n cilio'n araf tua'i sied
mae gwylan uwch y caeau melfaréd.

I Huw Ceiriog ar ei ymddeoliad

Huw dawel, Huw y dewin â geiriau,
    Huw'r gŵr wrth benelin;
    Huw y gwallt, Huw'r awdlau gwin,
    Huw wâr, ond Huw y werin.

Huw ddyn y tei, Huw'r seiat, Huw a'i hwyl
    a'r meddyliau preifat,
    Huw a'i farn, Huw syth ei fat,
    Huw yn swil ond Huw'n solat.

Huw y ffin, Huw'r un ffunud yn naddiad
    y blynyddoedd ynfyd,
    pob gaeaf a haf hefyd
    yr un Huw yw Huw o hyd.

Huw'n wrando, Huw'n yr undeb, Huw yr iaith,
    Huw'r wasg a ffraethineb;
    Huw'r wên, ond Huw'r taerineb :
    nid yw'n Huw yn ildio i neb.

A ddaw carafán i'th annog eilwaith
    hyd heolydd troellog
    i droi'n ôl am Dir na nÓg
    aceri Dyffryn Ceiriog?

I Huw Meirion Edwards, Bardd Cadeiriol Eisteddfod Casnewydd 2004

Yn nhir neb mae'r atebion yn aros
   yn hir yn y galon,
   heb lais i'w glywed, heb lôn
   i barêd o sibrydion.

Eneidiau syfrdan wedyn yn eu hofn
   pan fo'r nos lawn dychryn,
   rhai o'r sêr sy'n ddagrau syn,
   a 'nabod ar y dibyn.

Hwiangerdd a'i halaw dawel o bert
   yw byd Llanfihangel;
   ond â'i wich o'i fyd uchel
   o hyd mae'r cudyll yn hel.

Ni ddaeth Neb a'i lu atebion, ni ddaeth
   gyda'i ddysg yn wreichion;
   yn ferw wyllt dan y fron
   ddaeth ymyrraeth Huw Meirion.

Paris

Mae'r arogleuon yn cerdded y strydoedd:
bara tal a chawsiau powld, a choffi mewn rhyw glogyn du,
Gitanes yn cuddio'n aflwyddiannus rownd corneli,
persawrau'n cyfarfod a chusanu.

Dilladau'n gwledda mewn tai bwyta,
eu harchebion yn ddadlau a chwerthin a sŵn,
y ffrogiau'n sgleinio uwch y llestri;
gwinoedd a brandi'n arbenigwyr ar ffasiwn.

Rhwygo drwy'r seigiau a gwylio'r cysgodion
mewn cariad tu allan, a'r meddwyn a'i reg
yn geg i gyd, ac yn flew rhag yr oerfel,
a'n ffroenau ymwelwyr rhwng canhwyllau a garlleg.

Ac nid yw'r cig wedi ei lwyr goginio
yn unol â rheolau'n stumogau ni
am lanweithdra ac oergelloedd;
ac mae'r mwg yn dringo hyd chwys y ffenestri.

Dim ond ymwelwyr. Ein dyheadau wedi eu pacio'n dwt i'n bagiau,
wedi eu cloi yn lân i'w datgloi a'u gwisgo'n antur a sbort
wrth ymbalfalu â'r geiriau sy'n diasbedain
yn ddireol o'n cwmpas. Ymwelwyr, a'n holl ffydd mewn pasbort.

Cwrw Maes

(enw ar gwrw lleol yn Brugge)

Oddan ni'n ca'l bwyd, ia,
a stagio ar fodins del
fel *peacocks* mewn sodla',
uffernol o swel

fel genod Llandwrog,
ond yn fwy brown a dim gymaint o snobs;
a trio g'neud llgada.
O'dd 'chydig o slobs

yn dangos 'u huna'n a'u gynna'
ac yn ponsio rownd lle,
a'r hogia' yn chwerthin
ar y Maes, yn dre.

Meddwi'n gocyls a b'yta mysls
(llond lle o jocs ciami),
trio 'ngora' 'fo'r fodan
â'r wên fawr amdani.

Dyn fel Tŵr Eryr yn dwad 'fo bil,
isio cannoedd o mags, ia,
a harthio yn diwadd:
'im yn dallt o'dd yr hogia',

o'dd isio Lloyd George
i 'neud sens o'r cyfan,
ond o'dd hwnnw nôl adra
yn fflyrtio 'fo gwylan.

Chafodd o'm tip
er i ni'i ada'l o'n ffrindia'
fel ar ôl gêm ffwtbol,
ond heb swopio crysa'.

Mynd am dro hyd canals,
smart, ia, ond yn drewi,
a meddwl fod Cei jyst 'run fath
pan fydd llanw 'di'i heglu-hi . . .

Grantchester

*(cartref Rupert Brooke, 31/12/01, ddiwrnod cyn i'r Ewro
ddod yn arian swyddogol.)*

Mae'n hawdd dychmygu heddiw yng Nghaergrawnt
fod Lloegr wedi marw; does na bw
na be gan eira neithiwr ar bob lawnt,
na thraed twristaidd ar eu gwynder nhw.
Ac yma lle bu'r bardd yn gwylio mellt
cyfandir Ewrop yn yr awyr fawr
uwchben y dafarn, heibio'r tai to gwellt,
mae Afon Cam yn llawn sibrydion nawr
am rai'n cynllwynio, am fyddinoedd cudd
yn tarfu ar holl sgyrsiau te prynhawn
y Lloegr hon. Ger hen foncyff prudd
mae'n hawdd dychmygu, ond fe wn yn iawn
fod esgyrn un yn pydru mewn rhyw gae,
a chloc sy'n dweud yr amser fel y mae.

Hofburg

(Fiena)

Ni wn sut y gall hanes siarad â ni.
Yn sicr ni all siarad gymaint
â llond lle o Eidalwyr
a'u breichiau'n brawddegu'n
gymalog rhwng ystafell ac ystafell.

Ni wn a *all* hanes siarad â ni.
Nid oes gan fan hyn, hyd yn oed,
gymaint o luniau ag sy'n llechu yng nghamerâu'r
Siapaneaid; a theclynnau'r hanes swyddogol
wedi eu gludo wrth eu clustiau.

Ni wn a ddysgwn unrhyw beth gan hanes, 'chwaith.
Mae hwnnw'n celu rhwng y geiriau
a'r dyddiadau hyn. Ac mewn lle mor fawr,
a 'nhraed i'n boeth, mae'n anodd darllen,
nodi, cofio'r cyfan. Waeth pa mor amlieithog.

Mae'r ciw tocynnau'n hir o hyd, a phawb
yn dilyn llinell syth y drefn a'r dehongliadau.
Cawn weld y dodrefn heb orffwyso dim,
a darllen popeth heb awgrymu atodiadau.
A draw fan acw, oglau espresso a chacennau Fiena.

Sgaffaldiau

Mae sgaffaldiau newydd cyfalafiaeth
yn codi gobeithion ar bob stryd,
yn prysur roi sglein ar bethau.

Gwyliwch rhag baw'r degawdau blin,
y twmpathau amyneddgar
sy'n aros glaw eu hebargofiant;

gadewch i sgipiau hanes digloriau
stelcian ar gorneli stryd; peidiwch, da chi,
â rhoi eich marc lle bu gwadnau canol Ewrop.

Bellach maent yn hysbysebu'r dyfodol
mewn neon llachar, yn sodro eu hyder
ar dopiau'r adeiladau; a'r llythrennau'n rhoddi traed

crynedig yn y dŵr, i dorri'r ias. Ar orwel Budapest
mae tyrau'n rhes, fel dannedd ceg agored
yn dal i aros cig yr arbrawf diweddaraf.

Sbaen

Ar bob taith roedd 'na jôcs:
fan Gwasg Gomez ar ochr stryd,
a golygfeydd rhy wych, rhy fawr
i'w rhoddi i lawr mewn cerdd.

Ffenestri a meddyliau wedi eu hagor
led y pen, a rhyddid map
yn dwt ar lin yn wyrdd a choch a glas;
a'r wlad yn gwelwi drwy'n sbectolau haul.

Hen gaerau bryniau'r gwastadeddau
yn sibrwd-ddatod yn yr haul;
haul mor fawr â gobeithion gwyliau,
mor boeth â themtasiynau.

A'r pentrefi: un ar ôl y llall
yn dod a darfod mor ddisymwth
â rhoi troed ar sbardun;
neu bendwmpian rhwng dwy neu dair

o'r cymunedau hynny
sy'n cysgu yn eu hynafolrwydd;
a hen wŷr bodlon yn y pnawn
yn cadw un llygad cau ar y byd.

Blodau'r Haul

Torf benisel o helaeth yn yr haul
ger hewlydd twristiaeth
chwim y byd, i gyd yn gaeth
i'w hanorfod unffurfiaeth.

Santiago de Compostela

Yr oedd yno chwys a chnawd wrth gnawd
yn gyffwrdd twym, yn gyfoethog a thlawd;

yn filoedd lluddedig gan bererindota a gwres
a'r weddi oedd rhyngom, yn gwasgu yn nes;

yn ffyn a llaswyr, llyfrau taith a chamerâu,
yn ffydd a chwilfrydedd trwy'i gilydd yn gwau

wedi'r cannoedd milltiroedd yn bothelli ar draed
a'r miloedd blynyddoedd a fu'n cronni'n y gwaed;

yn litwrgi tawel a swnllyd 'run pryd,
yn fodlonrwydd stond, yn gyffro i gyd;

yn thuser anferthol yn crogi o'r ne',
paderau'n gymylau ac yn llenwi'r lle,

yn bendil ein cred a'n hanghrediniaeth ni,
yn weddi obeithiol, yn olaf danbeitiaf gri.

Embalse de Yesa

(Cronfa ddŵr)

Y gwir yw, yma'n y gwres,
heibio i wenau rhyw Sbaenes,
ni wn 'run dafn o'th hanes.

Ond mae'r pysgod yn codi
i'r wyneb; a yw'r rheini
yn dweud am dy ddagrau di?

Dagrau hallt y gwŷr alltud,
a stori hen lle bu stryd,
a phob tŷ lle bu bywyd?

Oedd yma Gapel Celyn
y miloedd pnawniau melyn?
Fuo' na hwyl yn fan hyn?

Neu fân-siarad cariadon
yn anwesu hanesion
dan y sêr, i gyd yn sôn

am yr anterth o chwerthin
o ffrydiau'r byw cyffredin?
Ai sŵn yr hwyl sy'n yr hin?

Y gwir yw, yma'n y gwres,
heibio i wenau rhyw Sbaenes,
ni wn 'run dafn o'th hanes.

A Dyma Ni'n Ôl

A dyma ni'n ôl
yn storïau a lliw haul benthyg
na welith ganol Hydref,
archebwyr rhugl ein bwyd a'n diod
ac yn diolch hyd syrffed
gan mor rhwydd yw hynny.

A dyma ni'n ôl
yn farchnad gyffredin
o roddion ac alcohol di-dreth,
o sigaréts a lanwai ysbyty.
Hen lawiau'r teithiau tramor
a beichiau camerâu yn dystiolaeth.

A dyma ni'n ôl
i ganol yr hyn ydym.
Arian mân anhrosglwyddadwy
yn eithafion ein pocedi gweigion;
a gofalus osgoi gorgyffwrdd â neb
rhag dileu ein lliw haul benthyg.

Gwyliau

*(Mae rhai yn sôn y dylai Aber geisio denu math
gwahanol o ymwelydd)*

Hen oglau gwymon a chân gwylanod
heno yn achwyn uwch fflyd o gychod,
a hel eu manna mae'r colomennod
sy'n pasio heibio yn ddiadnabod.
Oriau diog ar dywod, chwarae mig,
a hogiau unig ar ôl y genod.

Mae boliau'r Brymis, a'r haul yn isel,
yn fis o gyris hyd at y gorwel,
yn ganu awchus, yn rhegi'n uchel,
yn gwffio eto, yn ffag a photel,
yn oriau hir ar yr êl; ond gwyliwch
nhw'n herio düwch eu ffatri dawel.

Dau'n chwilio cysur yn glòs i'r muriau
ac ildio'n llwyr i synnwyr cusanau
a neb i'w herio; cael bod heb eiriau
yn un â'i gilydd dros ffling y gwyliau.
Eiliad, ac yn eu holau'n araf iawn,
yn araf iawn i'r parc carafannau.

I heulwen Aber a hwyl y nabod,
y geiriau tawel a saga'r tywod,
i sŵn y don – nhw sy'n dod ar eu taith,
i'w gwyliau uniaith, yn sŵn gwylanod.

Y Clwb Jazz

Mae'r felan sy'n ei biano
yn ddagrau hardd i'w gur o,
yn haul hwyr, yn nodau glaw,
yn niwloedd hyd yr alaw;
ar stôl ei felancolia
mae'n ildio'n llwyr hwyr o ha'.

Swig o win, a mwg sigâr
yn gwmwl uwch dau gymar
am y bwrdd, a drwm a bâs
yn awr o garu eirias:
sŵn rhythmau gwres eu pleser,
a sŵn y sacs yn y sêr.

Hi hefyd ar ei llwyfan
ac yn gleisiau geiriau'r gân
heno'n sisial yr alaw,
mae ei llais mewn ystum llaw
yn datod clymau'r nodau;
mewn sŵn cord mae nos yn cau.

Gitâr yn strymio'i chariad yn iasol,
    a'r bysedd yn siarad;
    cyweirnod stond lond y wlad:
    yn ei berw, un bwriad.

Mae'r golau'n biws lle mae mwg y miwsig
yn sêr o watwar, yn ddawns erotig,
a hyd y lloriau glissando lloerig
yn codi'n araf fel gwres dinesig;
â'r nodau'n haid crynedig, y mae'r to
yn siglo eto i'w grym hypnotig.

Pan ddaw'r clarinét aflonydd eto
a'i herian swil, a hi'n awr noswylio,
o gylch y byrddau, mae'r nodau'n heidio
yno i hepian uwchlaw y clapio;
caiff y felan a'r piano eu tagu,
y sŵn yn pwdu a'r *jazz* yn peidio.

Rheswm

Ai'r don a'i grym syfrdanol, neu wylo
anwyliaid y bobol
yn y mwd, heb ddim o'u hôl,
yw sŵn y Duw absennol?

Ble mae Saddam?
(Mai 2003)

Rhywsut mae gwynt goroesi heno'n dew
uwch Baghdad a'i thlodi;
a'r cyfan oll 'di'i golli
mae o yn iach ynom ni.

Budapest

A Donau'n dweud ei hanes dieiriau,
daw Ewrop rêl llances
yn dwrw torf drwy y tes
yma i'm hannog i'w mynwes.

Gosber

Heno, a'r coed yn oedi ar y lan
ceir rhyw lun ar weddi;
y mae llais yn ymyl lli
a phaderau 'nghyrff deri.

Hen Lyfrau

Yswiriant oes o eiriau a lecha
dan lwch hen gyfrolau,
heibio'r inc a'r papur brau
mae meddalwedd meddyliau.

Freiburg

Pitïaf hi sy'n crio ar y sgwâr
a'i sgwrs yn chwyrlïo
ar ffrae ola'r ffarwelio:
aeth hi ei hun pan aeth o.

Aros

Mae'n nos, dwi'n aros eira, ac aros
ac aros am Santa;
ar gusan dad cau ll'gada,
gwn y daw at hogyn da.

Clwb Jazz

Mae rhyw iaith yn ymrithio yn y mwg,
ac mi wn i heno
pan ddaw drosof caf gofio
alawon caethion y co'.

Dafydd Morgan Lewis
yn 50 oed

Mae'r Foel yn dal i goelio, a Banw'n
annibynnol heno;
â her wâr ei fwynder o
ddaw Maldwyn ddim i ildio.

Grotta de Nettuno

(Alghero, Sardinia)

A yw sŵn hanes yno yn y dŵr
    dieiriau? O wrando
fe gei'r ateb o'r groto:
diferion cyson y co'.

Hen Wraig Burano

(ynys sy'n enwog am ei lês)

Mae'n gwario'i hoes yma'n y gwres yn chwil
    wrth chwilio'n rêl llances
am ei dyn, a'i lun fel lês
yn llawn o dyllau hanes.

Castell Dolbadarn

Y mae brain yn chwilio am bryd, eistedd
    wna'r twristiaid hefyd
yn eu macs, yn ddelwau mud;
a minnau'n oer am ennyd.

Mair y Tapir, Aberteifi

Yno'n dawel fe welaf hen angau,
    yna'r ing a deimlaf,
    ond o'th gur dy gysur gaf
    a daioni amdanaf.

Cau'r Map ar yr Almaen

Fe rown y wlad i'w chadw yn ei phlyg,
    a pha les creu twrw
    a lôn hir i'w gwylio nhw
    yn eu bariau'n un berw.

Rhaeadr Gutacher

Gwelaf sêr pob diferyn yn ymson,
    ond gweld amser wedyn
    rêl ffŵl mewn rhyw gwmwl gwyn
    yn ddiwybod ar ddibyn.

Lysh

(Drama Aled Jones Williams)

Ai'r sŵn ffraegar mewn bariau, neu waddod
yn gweiddi o'r gwydrau
wedi tywallt deall dau
ydi gwirod y geiriau?

John Charles

Marcio hwn yng ngemau'r co', a'i 'sgidiau
fel cysgodion heibio
a wneir o hyd, ond bob tro,
o raid, bydd wedi rhwydo.

Montserrat

Nid wyf yn mynd i ofyn a welodd
y bugeiliaid cyndyn
fenyw hardd unwaith fan hyn
na dechrau dallt eu dychryn.

(Yn ôl yr hanes ymddangosodd y Forwyn Fair i fugeiliaid mewn
ogof ar fynydd Montserrat yn y flwyddyn 880 O.C.)

Parc Margam

(Eisteddfod yr Urdd 2003)

Heibio i oglau Bae Baglan heno daw'r
dynion dur yn syfrdan
o'u twllwch, cans tu allan
mae'r simneau'n cynnau cân.

Tywydd Mawr

Mae 'na sŵn o'm mewn i sydd i'w glywed
yn glawio'n dragywydd,
a lliw'r diawl ym mhyllau'r dydd,
lliw gwaed yr holl gawodydd.

Wedi'r Eisteddfod

A'r beirdd fu'n llenwi'r byrddau eleni'n
hael iawn eu cywyddau
yn yr haul, a hi'n hwyrhau
mae'r Llys yn fflamau'r lleisiau.

Y Machlud o'r Trên
yn yr Alban

Drwy bob ffenest welest ti liw yr haul
a'r hwyr yn llawn whisgi?
Haul, o'r diwedd, 'di meddwi
ym min nos, a'i ddram i ni.

Cerddorion Stryd
yn Aberystwyth

Pwy yw'r rhain o wlad Periw a'u nodau
hyd ein strydoedd heddiw
yn siolau a lleisiau lliw
am ryw eiliad amryliw?

Soned y Dyn Goleuo

Ac mae diva arall yn dibynnu arna i.
All hon ddim colli'i thymer lawr yn fan'na,
lawr yn fan'na gerbron ei chynulleidfa glai;
gen i mae'r golau, i'w danio, ac yna
ei symud gyda lli'r perfformiad. Dyn cysgodion,
dyna ydw i – yn llechu ynddyn nhw, yna eu creu.
Fi yw'r haul i'r sêr, yma yn fy entrychion
yn llifoleuo gyrfaoedd, a gyda grym un botwm eu dileu.
Ac yn y cysgodion mae'r perfformiadau'n fyw,
pob ego brau, pob ffrae, a phob casineb;
yno mae'r meddwi'n fygythiadau, nerfau'n gleisiau byw,
ac ymhob sgript mae cyllyll mewn cefnau'n ddihareb.
Peidiwch ag ymlacio gormod yn eich siwtiau drud, oherwydd
fy newis i yw'r llewych ar bob *diva* newydd.

Chwarae Plant

Dwi'n cofio'r amser pan oedd crwydro'r afon,
gan chwerthin a ffraeo, yn llenwi'n dyddiau;
ein sŵn yn sŵn plant ac yn sŵn breuddwydion,
a sŵn rat-a-tat dychmygus ein gynnau
yn eco ym mynydd y trychfilod, ac yn rhedyn
y nadroedd dim ond sŵn calonnau'n curo,
a'r siffrwd o'n cwmpas, a mân gleciadau i'n dychryn,
cyn rhuthro'n llawn chwerthin yn wyllt oddi yno.

Ond heddiw eto mae o wrth fy rhiniog
fel y troeon o'r blaen i fy hudo allan
at sŵn ei rethreg, a'r sglein ar y bidog,
a'r diawlineb sy'n nadreddu ym meddyliau cyflafan.
Mae'r trychfilod yn bod yn yr eco wylofus
a sŵn rat-a-tat ei ideoleg ddychmygus.

Paid

(I Wilfred Owen ar ôl gweld y ffilm Regeneration*)*

Paid â meddwl am i 'atal-dweud' dy hawlio
yn y gamlas olaf honno,
y gamlas bitw, holl-bwysig honno,
ym mrwydr olaf bron
y Rhyfel i derfynu pob rhyfel,
paid â meddwl nad oes dynion heddiw'n
dilyn wageni'n drymlwythog
gan ieuenctid.

Paid â meddwl nad oes ysgyfaint heddiw'n
glafoeri gan nwyon gorffwyll,
na bywydau diamddiffyn yn mygu
gan ideoleg a diffyg ideoleg.

Paid â meddwl nad oes ffosydd heddiw'n
llawn o wynebau di-adnabod
ac enwau'n galw ar ei gilydd
yn nhir neb;
mae'r wynebau'n glaf gan bechod o hyd.

Paid â meddwl, 'chwaith, y dysgwyd dim
yn niwl dy derfynu di;
ond ni cheulodd eto'r dagrau gwaed
a lifodd trwy d'ysgrifbin.

Ac os tybiaist
ar ôl llithro'n chwilfriw i'th dawelwch
y rhoddwyd taw ar yr hen gelwyddau,
paid . . .

Croesi'r Stryd

Roedd y byd yn ei wylio'n
croesi'r stryd.
Fe oedodd, ac mae o yno
o hyd

yn aros i'r traffig
arafu o bob cyfeiriad,
ond mae eu chwarae mig
yn drysu pob bwriad

ac mae o yno
o hyd, o hyd
rhwng ceir wedi eu parcio;
mae o yno o hyd,

fel y bu o'r blaen:
y byd yn mynd heibio
o'i flaen, ac o'i flaen
a neb yn ei weld o . . .

Sut Faswn i mewn
Parti Coctels?

Bydda i'n meddwl weithiau
i mi gael fy ngeni
rhwng cromfachau,
sangiad a lithrodd allan
gyda'r brych,
enaid mewn dyfynodau.

Yn y fan hyn,
rhwng ymddiddanion crys a thei
a choedwig neilon
yn sawdlu hyd y lloriau,
pan fo cymalau'n symud,
yr wyf fi.
Fi y frawddeg fach
mewn môr o baragraffau:
y geiriau gwin,
priod-ddulliau ar bric,
atalnodi ar dafell o fara, bara brown;
a neb, neb yn sôn am Michelangelo.

A bydda i'n meddwl weithiau
mor drylwyr yw'r swildod
a ymddiriedwyd i mi.
Mae rhyw ffŵl yn ei bulpud,
ar ei lwyfan, yn fflyrtio
â neilons dewisol.
Mor annigonol fy nhraddodiad llafar i –
baglu dros gytseiniaid,
llithro ar lafariaid,
cystrawennau'n twyllo tafod.

Bydda i'n meddwl weithiau:
pam 'dwi yma?

Carreg

Brofiadau, siomedigaethau, bellach, yn ôl
roedd plymio i'r nant, mor ddwfn i ni ag ofn,
yn antur a sgrechiadau. Ac mor ffôl

oedd ofni brath llyswennod yn y brwyn,
neu lyncu ambell sili-don
rhy fentrus. Yr ias bob tro o dorri'r ias; dwyn

anadl pawb, a rhincian dannedd. Yn Awst
dyma ddyfroedd ein dychymyg ni,
a changen ddeiliog uwch ein pennau'n drawst.

Mentro i'r byd tu hwnt i'r byd o dan y dŵr
yn freichiau ac yn goesau i gyd;
y tawelwch hwnnw oedd lawn stŵr

o hyd – fflachiadau pysgod, ambell bric,
swigod dŵr ar ffo – finnau'n dal fy ngwynt;
a chyn ffrwydro, cydio mewn rhyw garreg slic.

Mae honno heno ar fy mwrdd, a minnau'n ffôl
yn teimlo'r eiliad honno'n llyfn, mor llyfn dan law,
brofiadau, siomedigaethau, bellach, yn ôl.

Trin Gwallt Gwybedyn

(Wedi gweld ffotograff o waith Rhodri Jones o siop drin gwallt
ym Mlaenau Gwent yn cael ei defnyddio fel gorsaf bleidleisio)

O wybod beth yw'r dasg, mae gobaith wedyn.
A chymryd, wrth gwrs, y cawn ni grib werth chweil
at y gwaith, a gwybedyn nad yw'n rhy aflonydd.

A yw hi'n arferol gan wybedyn, 'sgwn i, i gael rhesen
yn ei wallt? Pa rif, fel arfer, at yr eillio – ond wedyn,
mae'r dewis gan bob gwybedyn siŵr o fod;

yr unigolyn biau'r dewis. A beth am liwio'r gwallt?
Neu berm? Neu 'chydig bach o saim i'w gadw'n dwt,
ac yn ei le, neu at i fyny. Neu beth am gribo'r gwallt yn ôl?

A fydd gan y rhain gylchgronau'n dwmpath ar ryw fwrdd
i bori drwyddynt rhwng cwestiynau am y gwyliau diweddara …
a chariadon … a helynt eto yn y teulu … a phob rhyw sgandal arall …?

A fydd gwallt uwch talcen gwybedyn o'i dorri'n cosi'r trwyn?
A fydd gwybedyn wedyn yn chwythu'n gynnil i'w ddisodli, gan fod
adenydd a chymalau'n gaeth dan orchudd gwarcheidiol?

A oes rwber ar war? Bydd ambell un yn fwy siaradus, siŵr o fod,
ac ambell un yn gysglyd-ddiog heb 'run gair i'w ddweud
o dan y bysedd medrus. A yw Radio2 yn chwarae yn y cefndir?

A beth, mewn difri', am ymarferoldeb sychwr gwallt?
Ai unig effaith hwnnw ar unrhyw wybedyn
fyddai ei sodro'n un slwtj coch ar ddrych y *salon*?

Machlud

Roedd yno ddau yn gwylio'r machlud:

y fo, yn simsan braidd,
yn siglo gyda'r tonnau,
a chyfogi uwch y gwymon,
ac yn igian ar yr haul mawr â'r trwyn coch
a lithrai dan y bar ym mhen draw'r byd.
A rhegi am nad oedd dim ar ôl
ond pocedi gweigion; dim byd
i'w fysedd melyn, budr gydio ynddo
i danio ei ddychymyg.

Roedd hi gryn heiffen i ffwrdd,
yn gyhoeddus, ofalus o barchus,
ei llygaid capel yn chwilio'r gorwel,
a gwrando emynau'r tonnau oddi tani
yn ei morio hi.
Ond aeth pob diwygiad yn chwilfriw ewynnog
ar helaethrwydd y traeth,
gan adael broc
sy'n gwneud dim byd
ond pydru yn ei unfan bodlon.

Aeth y ddau i'r un nos
i aros am yr un bore
a dau gur pen.

Ŵy 'di'i Ferwi

Yn ddefosiynol bob bore
rhaid berwi'r dŵr, a dodi'r
dodwyedig bethau'n ara deg, ar lwy,
i mewn i'r gwres. Ond ddim rhy hir!

Mor hoff gan y pethau bach
gael bidogi'r canol llonydd
â'u milwyr talsyth, gwyn,
cyn llowcio pryd pwysica'r dydd,

a hwnnw'n boeth, rhedegog.
Tri munud, union dri munud
i beidio â llosgi'r tôst, gwneud y te,
a chanfod dillad coll y fflyd,

ffraeo am fod rhaid cael ffrae
bob bore, ac am ddim byd
o bwys. Dagrau, sychu dagrau,
ac mae'r cyfan drosodd. Union dri munud.

Palmant

Y mae lampau nwydau'r nos
yn hel atynt stiletos,
a llond heol o golur;
reiat o binc. Sgertiau byr
yn haglo ar stryd fyglyd
lle daw hithau'n goesau i gyd;
sgidiau coch yng nghysgod car
yn wallgo or-gyfeillgar,
a swn sodlau'i chamau chwil
yn anghennus anghynnil.
Yn fudan ei gofidiau,
eirias yw'r gwaed. Drws ar gau.

Gyda'i brae mae'n gwau drwy'r gwyll;
tawel yw'r strydoedd tywyll.
Pallodd golau nwydau'r nos,
tawel eto'r stiletos;
mor dawel ei dychwelyd
ac mae hithau'n goesau i gyd.

Pentymor

(Sul y Cofio)

Aeth y dail yn fethdalwyr
dan ofidiau gwadnau gwŷr
sy'n crensian drwy hen hanes.
Iddyn nhw daw ddoe yn nes,
er eu baglau, a'r biwglwr,
wedi saib, â'i nodau siŵr
tra'n brathu'n canu'n y co,
brath hen yr aberth honno.

Byw trwy ddilyw o ddeiliach,
ac mae byw yn gamau bach,
ara, llesg; ond ni wna'r llanc
anghofio'r angau ifanc.

Glaw

Mae'n smwcian glaw alawon
a'u nodau'n wlyb hyd ein lôn;
alawon cras ar goncrit
yn trio byw, taro'r bît,
nes daw rhagor i'r corws –
bwceidiau o leisiau'r blŵs.
Chwarae tiwn ar lechi'r to,
yn y cowt, pizzicato;
a drymio hyd yr ymyl,
naddu cân drwy'r lonydd cul.
Pan dawo'r gawod nodau
nid oes ond ein cân ni'n dau.

Y Gantores Jazz

Mae teid sy'n llawn o seidar
a sŵn y byd sy'n y bar;
criwiau unnos yn cronni
a'u gwg rhwng y mwg a mi,
criwiau byddar llawn siarad
yn mynnu iaith i'w mwynhad.
Ond o'r llwyfan bychan bach
daw alaw sy'n dawelach
na stŵr y siarad cwrw,
daw 'na iaith i'w datod nhw.
Anadl o iaith, a merch dlos
drwy'r mwg a'r drymiau agos
yn un syndod o nodau'n
gwaedu cân â'i llygaid cau.
Mae'i gwallt yn hir gan hiraeth,
nodau'r hwyr yn don ar draeth,
a gwedd wen ei gwddw hi
yn dristwch ewyn drosti;
sŵn graean lond ei chanu
a marw dau'n y môr du.
I mi, er hyn, y mae'r haf
dan haul y nodyn olaf.

Darganfyddiad

Ganrifoedd mudan yn ôl,
y tu hwnt i ers talwm,
cyn creu swyddogion cyngor
a'u ffurflenni grant at damprwydd
a ffenestri dwbwl,
roedd ogofâu yn stadau tai,
a byd yn gyfarwydd
â rhesymeg pastwn.

Ac un diwrnod dienw, digofnod,
rhwng caru a lladd a bwyta,
fe ddigwydd i rywun dienw, digofnod,
ddarganfod yr Olwyn.

Dyn, wrth gwrs.
Roedd y merched yn eu hogofâu yn magu
a blingo cwningod.

Ond ni chofnodwyd eiliad trwnc mamoth
y canfod, ni roddwyd iddi batent hanes
na stamp.

Nid oedd hanes wedi'i ddarganfod eto.

Doedd y biwrocrat ddim yn bod.

Ni chafwyd parti chwaith,
rhostio anifail mawr
a gwisgo'r crwyn gorau.

Ond y noson gyntefig honno
roedd pethau'n dechrau troi . . .

Olwyn Ddŵr

Dyma'r olwyn ond nid dyma'r dŵr . . .

Rhyfedd sut mae tadau'n arbenigwyr ar bopeth.
Bysedd dysgedig yn datod
gwe'r blynyddoedd,
ymestyn ag awdurdod
at lwch yr oesoedd.
Nes sgubo'r cyfan ag un strôc o farnish cartre
a sblasio pawb o fewn clyw.

Mamau'n cilio,
eu pennau'n isel uwch dwyieithrwydd
swyddogol hanes, yn cofio
sut beth oedd dyheu
am ddiwedd gwers.
Embaras.

Edrych wna'r plant.

Gwrando ar y dŵr,

bob coma, atalnod llawn,
paragraffau'n syrthio a chodi eto
a mwy i'w ddweud, a'i ail-ddweud,
chwedlau'n chwarae mig,

pob diferyn yn gystrawen
mor hen, mor ifanc â thro ola'r olwyn.

Mae'n arllwys geiriau.
Mae modd eu dal
ond nid mewn delweddau Kodak.

Marine Lake

Rywle rhwng snog a sgrech
fe stopiodd Olwyn Fawr y Rhyl,
a'n gadael ni i siglo'n stond
mewn arbrawf gwrthbrofi disgyrchiant.

Syllwn ar y siani flewog neon
yn cordeddu rhwng stondin a reid.
Arni'n gwledda ar gandi fflós
a chusanau.
Arni'n ceisio osgoi'r corneli tywyll
lle mae gwersi preifat
ar ddod i nabod eich gilydd
yn well.
Arni'n chwerthin.

Ewyn gwyn y traeth
fel cwricwlwm ysgol Sul, ymhell bell
dawel dawel yn nos y cotiau hir
a'r hetiau parch, yn dal i drio, dal i dreio.

Roedd y Newton 'na yn dipyn o foi . . .

Cloc

Mi ddalltodd Einstein nad mewn llinell syth
mae grym a mesur amser.

Onid yw'n gramadeg yn peri iddo
ddirwyn yn gyrliog,
fodrwyog am grombil y rhod,
o fydysawd y groth
hyd strydoedd cyfyng
y pentref byd-eang,
yn anadlu'r gwlith,
wrth gau'r llenni?

Ond a ddalltodd Einstein,
hyd yn oed Einstein,
wrth weld ei athrylith egsentrig
yn wyneb y cloc
fod i sŵn a symudiadau
olwynion yr ymysgaroedd
fwy na rhesymeg geiriau?

Parêd

Heddiw fel ddoe'n
barêd o brams
yn mochel rhag y glaw
mewn caffis stympiau sigaréts
a briwsion caws,
a chrystiau plant na wyddant
beth yw cyrls.

Babis yn eu bybls clud
yn cysgu, sgrechian, baeddu'u clytiau.

Mamau'n breuddwydio yn eu swigod mwg
am y byd tu hwnt i'r giro,
am Richard Gere, am gwmni.

Tu ôl i'w coffi a'u lipstic cynnil
merched canol oed mewn siwtiau chwaethus
o dan wallt wedi'i bampro,
a'u parchusrwydd fel Chanel No. 5
amdanynt, yn felys hunan-gyfiawn,
mor daclus â'u bywydau bach;
yn difaru bod yno.

Genod ysgol (*god*, mae'r sgertiau'n fyr)
fawr iau na'r mamau breuddwydiol,
yn rhegi rhwng eu Cokes,
cymharu'r cleisiau ar eu gyddfau sioe,

yn casáu hwn,
licio'r llall,

breuddwydio am sesh
a gadael ysgol,

cyn taflu bagiau dros ysgwyddau llipa
ac anelu am bnawn boring arall.

A gadael y caffis stympiau sigaréts
a briwsion caws,
strancio babis a diffygion giros.

A gadael gwichian syrffedus
olwynion y prams,
am y tro . . .

Grand Prix Trolïau

Â llygaid mwy
na'r ceiniogau achlysurol
a luchir i'w gôl gan ryw gydwybod
ar wib heibio, yn drwm gan siopa,
fe wêl y bagiau'n goferu i'w gilydd
mewn trolïau buddugoliaethus,
degau o Ben Hyriaid penderfynol
ar ras gyntefig
i'w ceir soffistigedig.

Llygaid ugain oed yn wag.

Fel sborion Gateway
yn aros i'w symud
i ryw gysgod llai amlwg
heibio i ryw gornel pell
gyda'r llysiau pydredig
a'r nwyddau gwrthodedig
i anghofio
a chael ei anghofio.
Lle i'r llygaid gael llonydd.

Joyriders

Llifoleuadau'r stadau tai
a thorf niferus, ni werthwyd
tocynnau, dim seddau cadw,

dim ond sgrechfeydd gweigion
cenhedlaeth gyfan
yn bwrw ei llid mewn rwber llosg.

Ar y pafin, gerllaw'r bagiau sbwriel,
mae pry lludw ar ei gefn
a'i draed yn mynd fel cythrel.

How Green Was My Valley

Riliau'n rhygnu 'mlaen dan haen o lwch,
gan boeri'r hanes du a gwyn
ar sgriniau staenllyd y blynyddoedd,

dynion a fu'n sugno'r glo â'u hysgyfaint tenor,
a'u hanadlu bâs, yn gwenu'n galchog yn sgript
Hollywood, pedwar llais a sgidiau hoelion mawr.

Collwyd y sgript, ac nid yw tröell y pwll
yn pwytho'i hedafedd tynn rhwng ffas a phobl.
Cymylau clapiau glo'n amdói'r stribedi tai.

Lloeren

"On'd tydyn nhw'n gallu g'neud pob dim heddiw, 'dwch?"

Uwch ein pennau'n syrffio'r gofod,
a'r we anweledig, gre'
sy'n llinyn bogail rhwng y byd a thi
yn gweld drwy'r tywyllwch.

Mae pell yn agos.
Mor ddychrynllyd o agos.

Drwy'r ffenestri
mi weli'r
bobl yn cynrhoni
drwy gnawd pydredig
y dinasoedd.
Mi weli di'r ceir.

Mi weli
sut y gwaedodd y byd,
a cheulo'n eiriau
ar femrwn
yr anialwch,
twyni a dyffrynnoedd,
gronynnau'n ddagrau i gyd.

Mi weli di'r
byddinoedd yn symud.

Ond mi weli di hefyd
fegin dragwyddol
llanw a thrai.
Oni ddylai hynny
fod yn ddigon i ni?

Mi weli di brydferthwch.

Cwestiwn

Eglwys wag, ac oglau'i sŵn yn ateb,
ateb o hyd; yr ateb tawel,
mor ddiarhebol dawel
â llygod y lle. Heb

gystrawen na grym gramadeg
i'r glust allu cydio
yn y synnwyr sydd yno.
Heb ei hoelio yn rhethreg.

Dim ond siffrwd penliniau
a llafn drwy'r ffenest liw
yn chwalu'r llwch heb siw
na miw. A rhes o baderau'n

fan'cw'n fflamau eiddil,
eu bodolaeth cyfan yn gryndod;
ac eto mae'r syndod
yn para'n eu dycnwch eiddil.

Eglwys wag, ac oglau'i sŵn, mwya sydyn
â'i llond o oleuni
sydd am eiliad, am eiliad yn profi
fod ffydd yn y gofyn.